글 김숲

오랫동안 어린이책을 만드는 편집자로 일했으며, 지금은 1인 출판사 '나무의말'을 운영하고 있습니다.
출판사를 다니며 첫차를 타는 사람들처럼 새벽에 일어나 작사를 했던 적이 있습니다.
구로에서 강남으로 가는 첫차의 풍경을 묘사한 한 국회의원 연설이 오래 마음에 남았습니다.
그 이야기를 노래로 만들고, 그 노래가 그림책이 되었습니다. 고(故) 노회찬 의원에게 이렇게나마 고마운 마음을 전합니다.

그림 강혜진

책에서 만나는 세상에 빠져 그 안의 누군가가 되어 보는 상상을 즐기며 그림을 그립니다.
그림책 《껌》, 《하루》를 쓰고 그렸으며, 《나는 도서관입니다》, 《심생전》, 《꿈꾸는 구두》 등 여러 어린이책에 그림을 그렸습니다.
해 뜨기도 전에 첫차를 타고 일터로 향하는 사람들의 하루를 조용히 따라가 봅니다.
고단하고 피곤하지만, 때론 억울하지만, 가족과 일상을 지키기 위해 힘을 내는 모습에 마음이 찡해졌습니다.
이분들의 내일이 조금 더 다정한 날이길 희망합니다.

❖ 작가 인세의 일부는 노회찬재단에 기부됩니다.

노란상상 그림책 120

첫차를 타는 사람들

초판 1쇄 2025년 5월 1일 | **초판 2쇄** 2025년 7월 19일

글 김숲 | **그림** 강혜진 | **펴낸이** 양정수 | **편집** 최현경, 윤수지 | **디자인** 추진우 | **마케팅** 양준혁, 변수현 | **외주디자인** 구민재page9

펴낸곳 노란상상 | **등록** 2010년 1월 8일(제2010-000027호) | **주소** 서울시 영등포구 양평로 157, 1703호

전화 02-797-5713(영업부), 02-2654-5713(편집부) | **팩스** 02-797-5714 | **전자우편** yyjune3@noransangsang.com

ISBN 979-11-93074-71-8 77810

책의 모서리가 날카로워 다칠 수 있으니 던지거나 떨어뜨려 다치지 않도록 주의하세요.

합창곡 〈첫차를 타는 사람들〉과 함께 감상해 보세요.
• 김준범 작곡, 평화의나무합창단 노래
• 제10회 인천평화창작가요제 대상 수상작

첫차를 타는 사람들

김숲 글 • 강혜진 그림

노란상상

새벽 3시면 눈이 떠진다네.

새벽 4시면 정류장 앞이지.

선릉역
학동역
고속터미널
국립현충원
노량진역
11

우리는 매일 첫차를 타는 사람들.

이 버스는 강남 가는 버스.

첫차엔
사람들이
가득해.

아이고, 고맙습니다.
사고 났나?
밀리네….
가방 이리 주소.

6411
사9940

빌딩으로 아파트로 주차장으로

누구보다 일찍 시작하는 사람들…

하루 밥을 벌러 가는 사람들.

매일매일 첫차를 타는 건
보이지 않는 사람이 되기 위해.

들리지 않는 사람이 되기 위해.

눈에 띄지 않기 위해.

빌딩을 번쩍번쩍 광을 내도

아파트를 윤나게 청소해도

먼지 하나 없이 깨끗해도

지하 주차장에서 가쁜 숨을 쉬어도

우리는 그저 이름 없는 사람.
비슷비슷해 보이는 사람.
조용해서 들리지 않는 사람.
투명 인간으로 사는 사람.

도시락 펴 놓을 공간도 없어.

때론 변기 위에서 밥을 먹지.

물 내리는 소리에 맞춰 밥을 먹지.

거를 순 없어, 버텨야 하니까.

이름표를 봐요, 나도 이름은 있어.
진짜 내 이름을 불러 줘.

어이, 노인네!

나도 누군가의 아빠,

누군가의 엄마라네.

공부 안 하면 나처럼 된다고?

몸 쓰는 일보다 머리를 쓰라고?

몰라서 하는 소리,
말도 안 되는 소리.

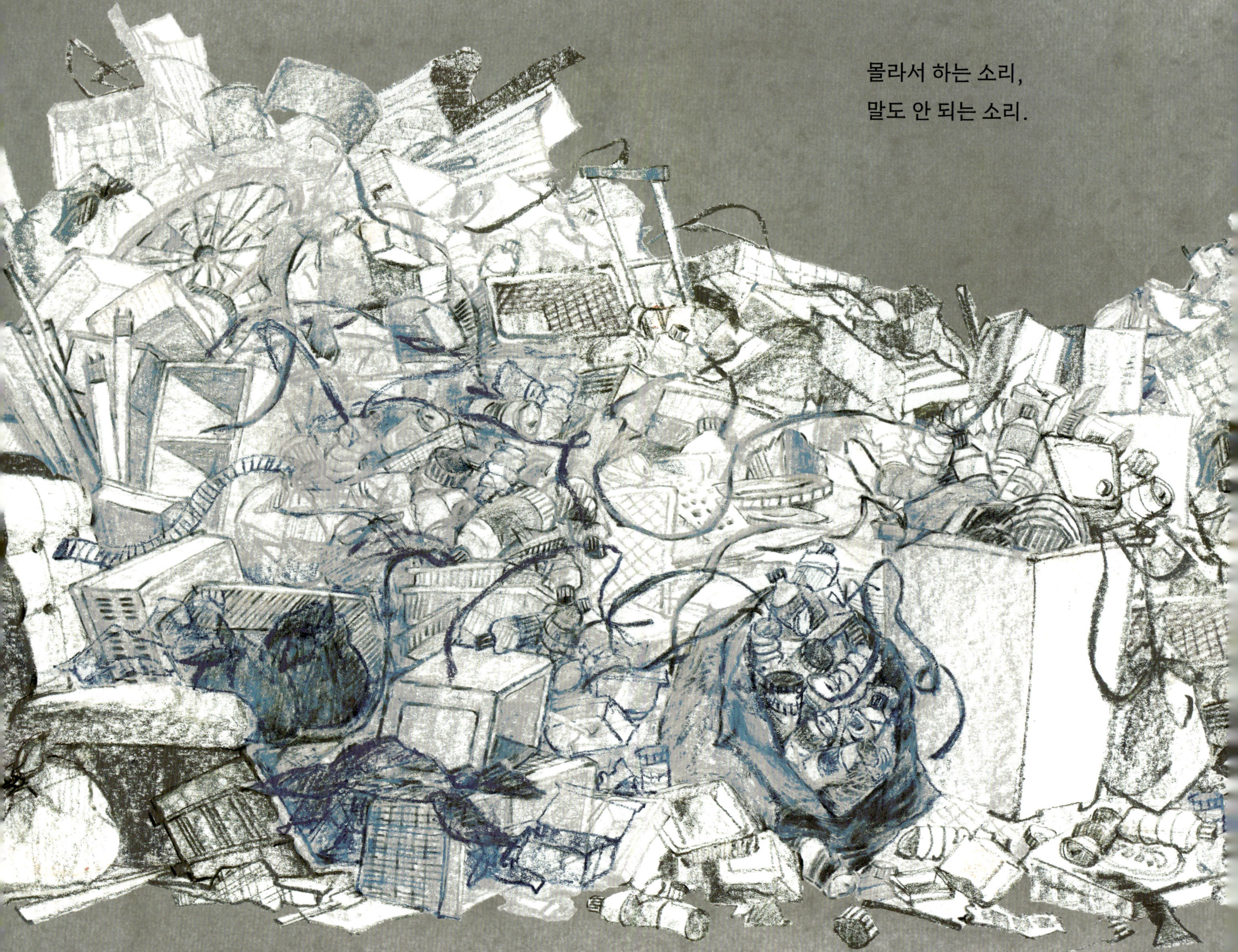

우리가 없다면
이 도시는 엉망이 될 거야.

전쟁 같은 하루가 지나고

어김없이 찾아오는 퇴근 시간.

땀내 나는 유니폼을 벗고

오롯한 나로 돌아오는 시간.

물먹은 솜처럼 무거운 몸

하루 피로는 이곳에 벗어 두고

6411

내 가족에게 돌아가는 시간,

몸과 마음이 쉬는 시간…

첫차가 올 때까지!